BEGINNING

ამეტყველება

Diana Anphimiadi

დიანა ანფიმიადი

BEGINNING TO SPEAK

ამეტყველება

Translated from Georgian by
Jean Sprackland and Natalia Bukia-Peters

poetry
translation
centre

First published in 2018
by the Poetry Translation Centre Ltd
2 Wardrobe Place, London EC4V 5AH

www.poetrytranslation.org

ISBN: 978-0-9575511-4-5

A catalogue record for this book is available from the British Library

Designed in Minion and Menlo by Libanus Press
Printed by Page Bros (Norwich) Ltd

This book is published with the support of the Georgian National Book Center and
the Ministry of Culture and Sport of Georgia

The Poetry Translation Centre is supported using public funding by
Arts Council England

Contents

Introduction

Diana Anphimiadi is one of Georgia's leading contemporary poets. A writer, teacher and linguist, she is the author of five poetry collections, two cookery books, and one children's book. Her poetic output has won several prestigious awards in Georgia including first prize in the Tsero (Crane) literary contest and the Saba literary award for best debut collection. Her work has been translated into several languages and draws many of its references from Georgia's neighbouring cultures, much in the tradition of Georgian poetry itself which has been shaped by both Persian and European influences.

Diana's own paternal roots lie in Pontus, a historically Greek region on the southern coast of the Black Sea which at one time stretched from central Anatolia, in modern-day Turkey, to the borders of the Colchis in modern western Georgia. Home to the legendary Golden Fleece, West Pontus is sometimes referred to as the home of the Amazons. Undoubtedly, Diana's Greek roots inspired her use of the goddesses from Greek mythology. In the current selection, both Helen of Troy and Medusa are conjured up; these figures allow the poet to speak out – throwing her voice through centuries of experience – against the unchanged restrictions placed on women in patriarchal societies.

With subtle lyricism, Diana's poetry describes the most intense experiences of many women's lives: childbirth; love, with its many complications; death. She also explores the topic of disability in her poem 'Autism: Beginning to Speak'. In Georgian society this issue, until very recently, had not been discussed openly in public discourse. With delicate inventiveness, Diana describes the emotions of the autistic child who perceives the world from within her own bubble and, of her attempt to speak, writes:

> I cover my ears with my hands
> and listen
> for the birth of the word,
> for who I am.

The power of words and the risks of speech are recurrent themes in Diana's work. The subtle recalibration of sense through repetition is exquisitely deployed in her poem 'Braille', where two lovers question each other:

> You ask me which is better:
> to go blind or to go deaf.
> I ask you is it better
> to go blind or go deaf.

However, Diana's poems resist straightforward interpretation. In the same poem a blind person perceives colours as sounds, which Diana renders in language:

> First, black – not a single sound –
> we sleep, or we die.
> The floor creaks a little
> as black becomes grey,
> then blue – a cool wave on hot feet.

But though Diana's work is seductively sensual it is never politically naive. Diana grew up in the turbulent 1990s, when the Soviet Union collapsed and many independent countries emerged from the ruins of the communist state. These formative years, for both her generation and her country, were characterised by the euphoria of newly obtained freedom as well as extreme instability and hardship. The Georgian Civil War (1988–1993) brought food shortages, frequent blackouts, corruption, and led to hundreds of thousands of people being displaced in South Ossetia and Abkhazia. The conflict bred a new generation of poets and writers who channeled their experiences into creative work. Diana was one of these writers and quickly distinguished herself as an unusually imaginative, original talent in the Georgian poetry scene. Her work refuses the formulaic or expected response, wrong-footing readers with its wit and delicacy. In her acclaimed 2013 collection, *Personal Cuisine*, for instance, she explores the traumatic experiences of recent years, yet the narrative unfolds as a patchwork of recipes, poems and stories. In another poem, included here, she warns that 'Happiness is the trajectory of short-sightedness' and her poems delight even as they startle the reader. Diana is a necessary voice in world poetry, reminding us of the importance of well-chosen words and good humour. Her deadpan plainspokeness has its own lyrical urgency: 'In the beginning was fear. / There were also poems.'

Natalia Bukia-Peters

აუტიზმი. ამეტყველება

როგორ სათითაოდ ჩამოხოცა
მავთულზე ჩამომსხდარი სიმღერები
ყინვამ.
ყურებზე ხელი ავიფარე
ვისმენ – სიტყვა სად იბადება,
ვინ ვარ.

დავდივარ თვალებით – ღია გალიებით –
რომ შიგნით მოვიმწყვდიო
ჭრელი თუთიყუში–ქვეყანა.

ჩემ წინ და ჩემ უკან სამიოდ ნაბიჯი
და მერე ხელახლა
და მერე თავიდან
მსოფლიოს გარშემო რკინიგზა გამეყვანა
მსურდა.
და ვტრიალებ, ვტრიალებ
ვტრიალებ
ვიწევი. ვმუსუბუქდები, ვმჩატდები, ვვარდები . . .
ღრუბლების ხაო და ნოტიო შეხება
დედამ ჩამოკიდა ახალი ფარდები.
პირში მიწის ოდნავ მომჟავო გემო აქვს
ბიჭს, ჩემში რომ უდგას საწოლთან ტორშერი
და თბილი ხელების დათრგუნველ შეხებას
ძვირფასი თვალების ალესილ შეხედვას
კაშკაშა პროჟექტორებს თოფივით მოშვერილს
იშორებს . . .
ცაში კი სიტყვები ჩხავიან
როგორც თოფის სროლით დამფრთხალი ყვავები
გაჩუმდი, გეყოფათ!
ერთს მოვდე ანკესი –
და თავზე
და თავში
მთელი ცა მემხობა!

Autism: Beginning to Speak

The songs perched on the wire
freeze to death, one by one.
I cover my ears with my hands
and listen
for the birth of the word,
for who I am.

I walk around
with eyes like open cages
to trap the bright parrot,
the country inside me.

Three steps forwards, three back,
repeat, repeat. I want
to circle the world with my tracks,
circle and circle again.
I rise, weightless, then fall.
The clouds feel damp and feathery
as my mother's new curtains.
A sour taste is in my mouth.
I stand like a lamp beside the bed
and at the violent touch of warm hands
or the laser-sharp
glance of loving eyes,
I recoil like a gun
and words squawk into the sky
like startled crows.
Silence! Enough!
I lasso one –
and on my head
and in my head
the whole sky falls!

ვიწყებ –
დავაწერე ყვავების გუნდები
სანოტო ხაზებს, ტელეფონის მავთულებს –
პირში მიჩხავიან მარტივი სიტყვები –
რომელთაც თან და ქვე ვაწყობ
და
ვართულებ.

ცეკვის გაკვეთილები (რიტმი 3/4)

ანტარქტიდაზე ყინული
ჯერ დატყდა, მერე შეწებდა –
სწორედ ასევე ფეხი ფეხს
მიადგი
ვითომ იპოვნე –
ეძებდი.
წესი: მიეყრდნო საკუთარ
მხრებს
– ნიშნავს მხრებში გამართვას,
მწვერვალზე ასობ ხერხემალს
თითქოს და
მერე დაეშვი
დაღმართი.
პა: შენი ხელი მის მხარზე
როგორც სიტყვაზე მახვილი,
მისი მარცხენა შენს წელთან
და თითქოს
მცენარის ბოლქვი
გაღვივდა.
ახლა
ნაბიჯი – მოქცევა,
მერე
ნაბიჯი – მიქცევა
და მერე თითქოს წყალი ხარ

I begin.
I write the crow music
on the stave of the telephone wire.
Simple words squawk in my mouth,
and I co-ordinate and subordinate
and make them complex.

Dance Lessons (3/4 Time)

Like an ice-sheet
in the Antarctic
broken, then joined,
go foot to foot
as if finding, or
at least as if searching.
Rule: lean against
your own shoulders, and
hold your back straight,
lift your spine as if
about to go downhill.
Step: your arm on
his shoulder, like
a spear on the word,
his left arm around
your waist like a bulb
coming into flower.
Now a step towards
then a step away
and then, like water,
pour yourself out
before your thirsty partner.
Rule: look straight
into his eyes,

და მწყურვალის თვალწინ
იქცევი.
წესი: უყურე თვალებში,
რომც იყოს სარკე – გორგონა,
მორგება მისი ნაბიჯის,
როგორც ახალი ფეხსაცმლის
მორგება.
პა: თითქოს მთვარე აფეთქდა
და ნამსხვრევებად ფეხები.
და ბრუნვა ღერძის გარშემო
და თავბრუ,
როგორც შლეიფი
გეხვევა.
გამოიყვანე სხვა რიტმი
შენი და მისი პულსიდან
ჯამით.
და ახლა ყველაფერს
გავიმეორებთ
თავიდან
მუსიკა!

even if a gorgon
is reflected there.
Adjust to his steps
as if to new shoes.
Step: as if the moon
exploded, and your
feet were the pieces.
Spinning round the centre,
round your spinning head,
the dance encircles you
like a lace train.
Make a new rhythm
with your pulse and his.
That's all. And now
let's take it from the top.
Play the music again!

მედუზა–გორგონა

როცა გითხარი, არაფერი ხდება–მეთქი,
უბრალოდ მოგატყუე.
ხდება, ყოველდღე ხდება
ხიდები, ხედები ...
რადგან სიყვარულს დავმორჩილდი,
დავდივარ, ვისთვის – თავმოჭრილი,
ვისთვის კი – სარკე – შეხედვისას
ქვავდები,
ხევდები.
როცა გითხარი, არაფერი ხდება–მეთქი,
უბრალოდ დამავიწყდა. იმ დღიდან
ყველა ცხენოსანი, ანდა ქვეითი
ჩემს სახელს,
(სახელს თავმოჭრილის)
ატარებს ფარად...
თუ ქვას მესვრიან,
იბრუნებენ პასუხს ქვებითვე...
რომ გითხარი, არაფერი ხდება–მეთქი, უბრალოდ მოგატყუე.
არაფერიც კი აღარ ხდება, ვსუნთქავ, ვარსებობ,
გული – მხუთავი სიმსივნეა მკერდში, ძუძუსთან,
მელოდიები ამოვჭერი, მუსიკის ავი თვისებები, მეტასტაზები,
რომლეთაც მოაქვთ დაკარგული დღეების ხმები
გული – ქრისტესისხლას ბუჩქია,
ხმება.
ეჰ, ღირდეს მაინც – ღამით კისერს ჰკიდია ბეწვით
თავი – დილით კი მორჩენილი ჭრილობა მეწვის,
მერე, თავიდან ...

Medusa

When I said nothing happened
I lied to you.
It happens, it happens every day,
on bridges, in open spaces.
Because I yielded to love
I walk, for some an object of shame,
for others a mirror. Whoever looks at me
is turned to stone,
frozen.

When I said nothing happened
I simply forgot. Since that day
all the drivers, all the pedestrians
have carried my name
(*Shame*) as a shield.
If a stone is thrown at me
I answer with stone . . .

When I said nothing happened,
I just lied.
This is what happens: I breathe, I exist.
My heart is a choking tumour, near the breast.
I cut out the tunes,
the malignant music, metastasis
which brings back the voices of lost days.
My heart is a celandine,
parched.
My love, can it be worth it? At night
my head hangs from my neck by a single hair
then morning, and the pain of the healed wound
and it starts all over again …

ელენე

ქალაქს რა აგებს –
ორი სახლი და ერთი ქუჩა
გადასასვლელი
კარზე ზარი
კართან საფენი
გადასახლება არის ისე გარდაუვალი.
როგორც გარღვეულ ტომარიდან
ბრინჯის დაბნევა.
ცეცხლზე გოგირდის ფაფას ვხარშავ,
სტუმრებს ვაპურებ,
რომ მოვახერხო შენი კვალის
ორთქლით დაბურვა,
რა არის ომი –
ორი ხმალი
და ერთი ცხენი.
აბჯრიდან ჩემი თმების კვანძი
თუ გამოხსენი,
თუ ღმერთის შვილმა
გამოტეხე კვერცხის ნაჭუჭი
ყველა დაგარქმევს თავის ცოლს
და თავის საშოვარს,
ათი წლის ალყა –
ჩემი კაბის ათი ნაოჭი
ქალი რა არის?
ორი ძუძუ,
ერთი საშო ვარ.
ამ მტვრიან გზებზე
კაბის კალთად რაც კი ვთრიე –
სხვა არაფერი –
მაგ პოემის ჰეგზამეტრია.
მხოლოდ.

Helen of Troy

What makes a town?
Two houses and one street,
a crossing,
a doorbell,
a doormat.
Leaving one home for another
is inevitable, like rice
spilling from a torn sack.

I boil a porridge of sulphur on the fire
to feed the enemies
and to hide you in the smoke.
What is a war?
Two swords
and one horse.
You will disentangle
the knot of my hair
from your armour.
I, the daughter of a god,
will break through the shell of this egg.
Then every man will call me his wife,
his *trophy*.
Ten years of siege,
ten folds in my dress.

What is a woman?
Two breasts,
one womb.
On these dusty roads
where I drag myself
like the hem of a dress,
nothing more –
just a few beats
in a line of this poem.

ლოცვა ბანაობის წინ

ჩემი ექვსი შვილის
ოცდათექვსმეტი შვილიშვილის
ათას ორას ოთხმოცდათექვსმეტი შვილთაშვილი
მადლობას გიხდის შენ,
ვისი კანიც უფრო მეტია,
ვიდრე ამქვეყნად ყველა ფურცელი,
ვისი სხეულიც უფრო ფართოა,
ვიდრე ამქვეყნად ყველა სამარე
და ეს ხალებიც ვის გლუვ კანზეც –
ჩიტის კვერცხების უძველესი დამწერლობაა.
მადლობა თბილი ნაკადისთვის,
თბილი ქვებისთვის,
ორთქლის რძიანი ღრუბლებისთვის
აბაზანის ფარდების მიღმა
ქაფის ქათქათა ტალღებისთვის
აბაზანის თეთრ ნაპირებთან.
ქვები მოაქციე მწყრის კვერცხებად
ხორბლის თბილ ყანაში დააბუდე
ქაფი წიწილების წინდებისთვის
დავართე და ისევ დამებურდა,
რადგან ყოველდილით ქალწული ვარ,
რადგან ყოველ ჯერზე დედა ვხდები,
კანზე ცისარტყელის ანარეკლი –
კვალი შეხებების – შეთანხმება
ისევ ძალაშია:
რადგან ერთი შვილი
მაშინ ერთი ლექსი
თუკი ერთი ლექსი
მაშინ ერთი შვილი
ავდგები და ისევ გავაშვილებ.
ორთქლში ყვავილივით გაიშალა
საპნის უნაზესი მორჩი.
ბოლიში სახადივით მოვიხადე
კიდევ ერთი ჩვილი ჩავისახე.
ტანზე ცხელი წყალი გადავივლე
და ახლა უკეთ ვარ,
მოვრჩი.

Prayer Before Bathing

My six children's
thirty-six grandchildren's
one thousand two hundred and ninety-six great-grandchildren
thank you
whose skin is more extensive
than all the sheets of paper in the world,
whose body is broader
than all the tombs in this world put together,
and whose smooth flesh has these moles,
marked like ancient script on birds' eggs.
Thank you for the warm deluge,
for the warm stones,
for the milky clouds of steam
behind the curtain,
for the gleaming white foam
at the edge of the bathtub.
You have turned the stones into quail's eggs,
nested them in the warm wheatfield.
I spun the foam to make socks for my chicks
but it kept unravelling
because every morning I am a virgin;
because each time I become a mother,
the rainbow reflected on the skin –
the trace of that mutual touch – is a sign
of the covenant between us:
for each child, a poem;
for each poem, a child.
Or else I will give her up for adoption again,
this gentle bud of soap
opening like a flower in the steam.
I wash away remorse like a disease,
conceive once more.
I rinse my body with hot water,
and I feel better now,
I have recovered.

ლოცვა საზრდელის მიღების წინ

შენ, ვინც შემქმნენი ორი ხელით და ერთი ჩანგლით,
ერთი კოვზით და ერთი პირით – ბევრი სარჩულით,
ორი ჩხირით და მაკარონის ფერადი ნართით,
მომეცი ნიჭი – ხორცი ძვლისგან გამოვარჩიო,
შენ, ვინც მასწავლე ჭირსა შიგან გავიქვიტკირო
პუჭი – მშიერმა მხოლოდ ხახვის ცრემლით ვიტირო,
რომ ამბრის ნაცვლად სჯობს ილი და კამა ვაკმიო,
რომ პური ჩვენი არსობისა ერთი ლუკმაა,
და ამიტომაც ვიდრე წყალი ძმარს შეერია,
ვილოცო მათთვის, ვინც მშიერია,
მართალია, ვინც მშიერია.
ვამზადებ მსუყე სადილს:
ჭუპრები, ტერმიტები,
ის ლუკმა, რასაც მაწვდი ხან არ,
ხან ვერ მინდება
ვიმზადებ მსუყე სადილს:
კნუტები, წიწილები,
ის ლუკმა, რასაც მაწვდი,
არ მინდა, გიწილადებ:
ცაში დაღვრილი რძე როგორც ზღვაში ჩაღვრილი
ნავთობი
ყველა უცნობი მზე და მეტეორი და მნათობი
რაც ცაში ცა და ჩიტია რაც ზღვაში ზღვა და თევზია
ყველა მარილის კვნიტი და შაქრის ნატეხი. სავსეა
შენი ჭიქა და ჯამი და თეფში და შენი სუფრა:
შენ,
ვინც მომეცი შიმშილი
მფლობ – ჩემს მადაზეც უფლობ.
ვდგავარ და თეფში მაქვს პეშვივით გაშვერილი
შეეჭრა დანას პირი
გახსენებ დანაპირებს:
როდესაც დამივიწყებ, მოვალ და გიშველიო
მე – ის ვინც დააპურე
და ის, ვინც დაგაპურებს.

Prayer Before Taking Nourishment

You, who created me with two hands and one fork,
with one spoon and one mouth,
with two chopsticks and a bright tangle of noodles,
grant me the skill to separate meat from bone,
you, who have taught me to harden my stomach
to stone, to weep only onion tears,
to wear as perfume cardamom and dill.
Our daily bread is just one morsel,
so first, before this water turns to vinegar,
a prayer for those who are hungry,
truly hungry.
I prepare a rich feast
because sometimes I don't want
what you do or don't provide:
chrysalis, termite.
I make my own richer meal:
kittens, chicks.
That morsel you pass me,
I don't want it, you can have it.
Milk spills into the sky
like oil into the sea.
All the nameless suns and stars and meteors,
the sky and all the birds in it,
the sea and all its fish,
every grain of salt and lump of sugar –
your glass, your bowl, your plate and table are full.
You
who gave me my hunger,
you who rule over it, you possess me.
I stand and hold out my plate like a handful.
The knife cuts open a mouth –
remember your oath!
You said you would come and rescue me:
me, the one you fed,
the one who will feed you.

ჩვენი ბრაილი

იასამნისფერ,
წითელ,
ყვითელ,
მწვანე, ოქროსფერ
ფერებს ითხოვდეს,
მეტრო – მეტრო დამათხოვრობდეს
(ჩემი ძველი ლექსიდან)
(ზაზას, რომელიც ხედავს
და ყველა უსინათლოს)
თეთრი – ეს უფრო ბგერა არის – ალბათ ფლეიტა,
ფლატეა, ფრთხილად, ციცაბოა, არ გადაქანდე
– სუსხის ბგერები გვესობიან –
განა ბელურებს – ჭრელ თუთიყუშებს გვიქანავებს
ყინვის ქანდარა –
ჩემი მეზობლის ოცი კატა – მთელი ორკესტრი
კნავის – ეს უკვე ყვითელია, მთვარე სავსეა
ჩვენი ელექტროყვავილებით – სახლების შუქით.
როგორ თენდება –
ცა ალუბლის მუსით დასვარეს.
შავი – არც ერთი ხმა არ ისმის,
გვძინავს ან ვკვდებით,
ფრთხილად ჭრიალებს იატაკი –
ჩანს – განაცრისფრდა,
ცისფერი – ტალღა ცხელ ტერფებზე,
დამშვიდდა სუნთქვა,
ქარმაც სამოსში შეინახა მტვრის და ნაცრის ფრთა.
წითელი – ლავა და ასოცი ვოლტი, ვოლტორნებს
ტრომბონებს, ტუბებს
ყველას ერთად უკრავს ორკესტრი,
შენი თითები ჩემს მუცელთან – მწვანე,
ლურჯი კი –
სანამ ოქროსფრად ინათებდა კოცნა მოგვესწრო...
შენ მეკითხები – სჯობს დავბრმავდეთ თუ სჯობს
დავყრუვდეთ
მე გეკითხები სჯობს დავბრმავდეთ თუ სჯობს
დავყრუვდეთ
მპასუხობ: შენი ათასფერი ტბები ამოშრა
გპასუხობ – შენი ათასფერი ყანა გადახმა
და მაშინ მზერაც კოცონივით გადაბრიალდა.
ჩემი ბრაილია ეს ბრაილი
შენი ბრაილია.

Braille

Purple,
red,
yellow,
green, gold –
as if we pleaded for colours,
went begging from one tube station to another.
White – like sound, perhaps the flute.
It falls – careful, it's steep, you could slip.
The sounds of frost pierce us –
not sparrows but colourful parrots
on a perch of ice.
My neighbour's twenty cats – the whole orchestra
miaowing – and now yellow, the moon full
and electric flowers of light in our houses.
When dawn breaks,
the sky is smeared with cherry mousse.
First, black – not a single sound –
we sleep, or we die.
The floor creaks a little
as black becomes grey,
then blue – a cool wave on hot feet.
Breath is calmer now, and the wind
hides in its robe its wing of dust and ash.
Red – lava, one hundred volts!
French horn, trombone, tuba,
all playing together.
Your fingers near my stomach – green.
And as for blue –
but let's kiss before the dawn breaks gold…
You ask me which is better:
to go blind or to go deaf.
I ask you is it better
to go blind or go deaf.
You reply: your thousand lakes of colour have dried up.
I reply: your thousand fields of colour are all dry.
A glance flashes between us.
It is my doing, this braille.
It is your doing.

ახლომხედველის ტრაექტორია

ბედნიერება – ახლოხედვის ტრაექტორია...
ზედაპირი გლუვი, უნაკლო,
ფორმა – რბილი და არამკვეთრი –
(რაც ნიშნავს ლამაზს),
ფერები – ბაცი და ლიცლიცა –
მაძინებს ლამის
მოსიარულე შუქ–ჩრდილების უწყვეტ დენაში –
მე ასე ვხედავ ადამიანებს.
ბედნიერება – ახლოხედვის ტრაექტორია –
სწორედ ეს ჩემი მინუს ხუთი –
მზერის მანძილი –
მაძლევს უფლებას სულ სხვაგვარად გესიყვარულო –
ვთქვა – შენი ტკბილი, ტკბილი კანი,
ვთქვა შენი სუნი – რძიანი ბრინჯი –
შენი ხმა – თითქოს ორთქლი ასდის მოცხარის ჩაის –
ისე ვთქვა,
თითქოს გეფერები თვალახვეული.
ჭიანჭველებად გაცოცდება ბრაილი კანზე.
ბედნიერება – უფლებაა ველარ ვარჩევდე
ჩემს თავს სარკეში –
სილუეტი ძალიან მომწონს –
შეირხევა და უკვე პაა
და პასადობლი...
ბედნიერება – ახლოხედვის ტრაექტორია,
როცა ბოლომდე დავბრმავდები –
ალბათ სამოთხე.

The Trajectory of the Short-Sighted

Happiness is the trajectory of short-sightedness.
Its surface is smooth, flawless.
The sharp edges of shapes are softened,
colours so pale and shimmering
they make me drowsy.
A continuous stream of walking light and shade –
that's how I see people.

Happiness is the trajectory of short-sightedness.
This precise minus-five length of my vision
allows me to love you in quite a different way.
To say: your sweet, sweet skin.
To say: you smell of milky rice,
and your voice is like the steam from currant tea.
As if I caressed you blindfold,
sent braille running over your skin like ants.

Happiness is the right not to see myself
too clearly in the mirror –
I like my silhouette.
It moves, dances a step,
a *paso doble...*
Happiness is the trajectory of short-sightedness.
When I go completely blind
I think it will be paradise.

რეტროსპექტივა

თავიდან იყო შიში
კიდევ იყვნენ ლექსები.
მერე მოვიდა კაცი,
როცა გაქრა ყველა სხვა,
მოვიდა კაცი –
გაქრა შიში,
მოვიდა ბავშვი –
შიშიც დაბრუნდა –
უეცარი სიკვდილის შიში. –
მერე მოვიდა იავნანის ტალღა – დამახრჩო,
მერე რძის სუნმა დამაყრუა –
ყველა ხმა გაქრა – ჩემის გარდა,
ისიც შიგნიდან რეკავდა, როგორც
ჩაგდებული (ზარის) ენა –
რბილი ლითონი.
ყველა ხმა გაქრა –
ეჭვიანი, თბილი, როყიო,
მონატრებული, ტკბილი
ანდა
მკაცრი, ლიტონი.
ანორექსია – სიყვარული
ძვალს და კანს შორის
ვერ იგუებს ზედმეტს – მესამეს,
ანუ ლექსები –
დარდიანი ჭირისუფლები –
მე – მიცვალებულს –
სათითაოდ გამომესალმნენ.
და როცა ბავშვი
დილის რძეს
და შუადღის ფაფას
შორის –
დებულებს –
მარცვლებს ამბობს,
მერე ურითმავს –

Retrospective

In the beginning was fear.
There were also poems.
Then came a man –
everyone else vanished
when the man came,
and the fear vanished too.
Next came a child,
and the fear returned,
the fear of sudden death.
The wave of lullaby suffocated me.
The smell of milk deafened me.
All sounds vanished, except mine,
which rang from inside
like soft metal, like
the swallowed tongue of a bell.
All sounds vanished –
the jealous, the warm, the coarse,
the sweet and yearned-for,
the strict and simple.
Then anorexia – love
between bones and skin,
and a third party: the poems,
those grieving mourners
who could not get used to each other,
to me or the dead.
One by one they said goodbye.
And when a child,
between morning milk
and afternoon porridge
makes sounds, syllables,
and rhymes them
and builds up words
like colourful plastic blocks,
I understand, I know exactly

და სიტყვებს აგებს –
ფერად-ფერად პლასტმასის კუბებს –
მე ზუსტად ვხვდები – რისი თქმა გსურს
და რას გულისხმობ –
შენ – დედაჩემის დედაენა
შენ დედაჩემის დედაენა
შენ – დედაჩემი.

ზამთარი

როცა გავიგე, რომ გიყვარვარ, სიცილით მოვკვდი,
სიმღერ-სიმღერით გამასვენეს,
ჩრდილის სუდარამ
ვეღარ დაფარა სიცილის კვალი –
მხიარული და ღრმა ჭრილობა –
ჩემი – ახალი მკვდრის სახეზე.
სიცილით მოვკვდი –
ნუ მოძებნი რამე სხვა მიზეზს
როცა გაიგებ.
როცა გავიგე, რომ გიყვარვარ, ტირილით მოვკვდი,
(ზოგჯერ ახრჩობს ცრემლის სიმრავლე)
ხმით ნატირალი იავნანა,
ეს მდინარეც – ხმით ნატირალი,
გადამერეცხა ქვიშის ნაკვთები,
და უმიზეზოდ ახლაც არ ვკვდები
ტირილით მოვკვდი –
ნუ მოძებნი რამე სხვა მიზეზს
როცა გაიგებ.
ერთხელ სიცივით მოვკვდი,
როცა ჩემი სხეული
ისე გაიქცა შენსკენ,
თვალიც ვერ მივადევნე,
მაღალი ძაბვით – წყლის ნაკადში გამოხვეული
ფრთხილად შევეხე შენს წამწამებს –

what you're trying to say
and what you mean:
you – my mother's mother tongue
you my mother's mother tongue
you – my mother.

Winter

When I found that you loved me, I laughed myself to death.
They carried me out, singing their hymns,
but the gloomy shroud
could not hide the trace of laughter,
that joyful wound on my freshly dead face.
I laughed myself to death –
when you hear the news, don't look for some other cause.

When I learnt that you loved me, I wept myself to death.
(You can drown in tears, if there are enough of them.)
I cried a torrent of tears
that washed away my face like sand.
Yes, there are other things to die of,
but I wept myself to death –
when you hear the news, don't look for some other cause.

Once I died of cold.
My body ran to you so fast
my eyes could not keep up.
Ecstatic, swept along on a flood,
I touched your dry eyelashes,
the empty ducts.
I died of fear too,
and of thirst,

შიშველ სადენებს.
შიშითაც მოვკვდი,
წყურვილითაც,
ხოლო შიმშილმა
ბოლო მომიღო
პურის სუნით, სუპის სითბოთი,
ხოლო, როდესაც
გზატკეცილზე მანქანამ მომკლა –
შენს გიჟურ ქროლვას ვუყურებდი და გზას გითმობდი.
და იჩხრიალოს სხვისმა ბამბამაც,
რადგან ჩემთან ჩხრიალებს თოვლი...
ჩხრიალა გველი – შენი პეშვით
წყაროს მსურს წყალი...
გიმხელ, რომ ვასწრებთ ერთად ყოფნას,
სიყვარულს ვასწრებთ,
და ისე ვასწრებთ
რა ხანია,
გადავუსწარით.

and hunger killed me
with the scent of bread, the warmth of soup.

But on the motorway
when the car came to kill me
I saw your crazy speed and gave way.
Go and rattle someone else's shroud –
I have the rattle of the snow, of the snake.

I want to taste spring water from your hand.
I want to tell you there is time,
we have time for love.
We have so much time
we outlived it long ago.

იმიტომ

რანაირი სიტყვაა „იმიტომ"
თითქოს რეზინის ბურთია,
რომელსაც კბილები უნდა მოუჭირო
როცა კითხვებით მუცელს გიჭრიან
გაუყუჩებლად.
რანაირი სიტყვაა" – თან პასუხია, თან პირიქით
და კითხვასაც, როგორც გემის გეზს, ვერ შეაბრუნებ.
სიტყვა კი არა, თითქოს სხვა ქვეყნის საზღვარია –
სადაც ზეთისხილის ბაღი შრიალებს,
ქაფქაფა რძით იცინიან ცელქი გოგონები,
საზამთროს ღიმილები – ყურებამდე,
ქალები–გარუჯული მკლავებით,
კაცები–კისერზე შემოსმული ბავშვებით...
დაუფიქრებლად მათ ზღვაში ხტები –
იქნებ ვინმემ გადაგარჩინოს
რომელიმე ბადეს ამოჰყვე...
რანაირი სიტყვაა „იმიტომ"
ბავშვობის ყველა თამაში ერთად –
გადაახტე საკუთარ ძარღვებს,
გააშეშო შეგრძნებები,
ისე დაიმალო, დაიკარგო,
ისე დაიხუჭო – დაბრმავდე..
რანაირი სიტყვაა „იმიტომ"
ხმოვნის სახრჩობელაზე ჩამოკონწიალებული
თანხმოვნები –
შენი პასუხი ყველა ჩემს კითხვაზე,
ღმერთო.

Because

What kind of word is *because*?
It's like that rubber ball
you have to squeeze between your teeth
when they cut open your stomach with questions,
no anaesthetic.

What kind of word? Both answer and question,
it can't be turned about like a ship.
It's not so much a word as a border to another land:
gardens rustling with olive trees,
and mischevous girls with wide smiles
and laughter like frothed milk.
Women with tanned arms,
men with children on their shoulders...
if you jumped recklessly into their sea
perhaps they'd rescue you,
or maybe you'd get caught in a fishing net...

What kind of word is *because*?
It's like all those children's games:
'jump over your own bloodstream',
'freeze', 'hide', 'get lost',
'shut tight', 'go blind'...

What kind of word is *because*?
Consonants
dangling from the gallows of vowels.
Your answer to my question,
God.

კარგვა

ბოლოს და ბოლოს ამოვხსენი
2 თევზის და 5 პურის იგავი,
ის, რაც ერთისთვის არ კმაროდა,
გაუნაწილო ასს, ათასს ან თუნდაც მილიონს,
და მაშინ, როცა, ერთი სიტყვაც არ იყავი –
ბაზრებში, მოედნებზე, ამფითეატრებში,
იმდენი ილაყბო, მთლად მიილიო.
ეს იგივეა, ფეხებმოჭრილმა ითევზაო
ხსოვნის წიაღში შენი ყავარჯნის ანკესით
რიტმის თევზები, ზღვის ვარსკვლავები, ერთი–ორი პა,
იმ ცეკვის, ასე რომ გიყვარდა,
მერე მორიგი სიმღერის ფრაზა,
ახლა უსმენ, უსმენ, არ გესმის.
ეს იგივეა, ამოთხარო ხსოვნის სიღრმიდან
ზმნის რომელიმე მკვდარი ფორმა,დაფლული
და ენის წვერზე გაიცოცხლო წვეთი თაფლივით,
Bellum omnium contra omnes, რაღაც ასეთი,
აწმყო, წარსული, მომავალი, მერე თავიდან
და მერე კიდევ, მთავარია იმ დროს ავსებდეს,
იმ უზარმაზარ ცარიელ დროს, რომელიც დაგრჩა
მეგობარი როცა წავიდა.

Losing

At last I solved the parable
of the five loaves and two fishes:
taking what was not enough for one,
and sharing it with a hundred, a thousand or even a million.
As if you amounted to nothing, not even a word,
yet wore yourself out in the markets, the squares
and amphitheatres, talking rubbish.
As if both your legs were broken,
and you used your crutch as a rod
to dredge up from the depth of your memory
the fishes of rhythm, sea-stars, one or two steps
of that dance you loved so much,
then a phrase of the next song –
you listen, and listen, but you can't hear it.
As if you dug out from the depth of your memory
some dead-and-buried form of the verb,
reviving it on the tip of the tongue like a drop of honey –
Bellum omnium contra omnes, or something like that.
Present, past, future, then back to the beginning
and back again – anything to fill the time,
that vast empty time which is yours
now your friend has left.

მკის სიმღერა

ზაფხული მომკის ჩემს ხელებზე
თარიღებს, ვადებს,
სიხარულის ძნას თვალებიდან.
ჩვილის აკვნიდან
მომკის შეხების ბამბაზიას
და კიდევ რამდენ
პირველ შეგრძნებას –
მოისმინა, ნახა, გაკვირდა.
ზაფხული მომკის დავიწყებებს და მომკის ხსოვნებს,
დამტვრეულ სხეულს
– როცა ჩაწყდა შენი ხმის თოკი –
რომელზეც დიდხანს დავდიოდი
და ერთ დღეს ჩაწყდა . . .
უპასუხობის ღურჯ ყვავილებს ზაფხული მომკის.
სიტყვაა ჩემი ბანიანი სახლი და ვტკეპნი,
სიტყვა „მიყვარხარ“ დავაშენე
– ყარყატის ბუდე.
გამოიჩეკო იქნებ ერთ დღეს სარკიდან, ქვიდან –
ფრენა ისწავლო, გაფრინდე და აღარ დაბრუნდე.
ზაფხული მომკის... ბაღახებში ქოშები დამრჩა –
წყვილი კალია . . .
სიცილივით ელვარებს ცელი.
თმის ბოლოებს და სიყვარულსაც
ზაფხული მომკის.
ყველაზე მოკლე დასასრული,
ყველაზე ჭრელი.

Reaping Song

Summer will reap the days,
the time on my hands,
the sheaf of joy from the eyes.
It will reap the touch of flannelette
from the baby's cradle,
and all the many first sensations –
he listened, saw, was surprised.
Summer will reap forgotten things
and remembered things –
the broken body,
the broken rope of your voice,
on which I walked a long time
until one day it snapped.
Summer will reap the mute blue flowers.
The word, like a house with snug flat roof.
My crime of passion,
my stork's nest.
Perhaps one day you will hatch
from the mirror, from the stone,
learn to fly, and never come back.
Summer will reap me.
I left my slippers in the grass
like a pair of grasshoppers
and the scythe will flash like a smile.
Summer will reap my hair,
will reap love too:
the quickest of endings,
and the brightest.

ივლისი

ბაბუაწვერას სულს ვუბერავ –
უმსუბუქეს შორისდებულებს სივრცეში ვგზავნი –
აჰ, ოჰ, ვაჰ, უჰ, ეჰ . . .
ვავრცელებ.
სიცხე ისეთი ხვავრიელი ნიადაგია,
უცებ მრავლდება ყველა ღერწი, ყველა მარცვალი.
ივლისის ღამე . . .
ფოთოლიც კი არ იძვრის არსად,
ღამემ თავისი თავი გაათრია,
გაათენა.
ისე ცხელა, რომ დადნებოდა
მარმარილოს გალათეა.
შორისდებული – ბუსუსები ეჭიდებიან
მინებს, კორპუსებს უფაქიზესი საცეცებით,
დავდივარ.
მინდა მეც ვირგუნო ამოსუნთქვები ნამცეცებად.
რადგანაც ვიცი ვიღაც არის, ვინც მუდამ არის,
ვისაც ნებსით თუ უნებლიეთ
ერთ დღესაც უნდა თავისთან იხმოს
ყველა ბუსუსი,
ბაბუაწვერას ბუსუსუნები.
ვინც ყველა სიტყვას,
სრულმნიშვნელოვანს და უმნიშვნელოს,
ფუძეს, ძირსა თუ ფესვს უსინჯავს,
გულდაგულ ზვერავს,
რომ ერთ დღეს ყველა მოაგროვოს,
შეაერთოს –
სიკვდილის სუნთქვად,
სიკვდილის სუნთქვად –
უზარმაზარ ბაბუაწვერად.
ბაბუაწვერას სულს ვუბერავ –
უმსუბუქეს შორისდებულებს სივრცეში ვგზავნი –
ვავრცელებ.

July

I blow the dandelion,
send the lightest interjection into space –
ah, oh, vah, uh, eh …
I scatter them.
Heat is such fertile soil,
all the seeds multiply.
This July night …
not even a leaf stirs.
Night drags itself through to dawn.
It's hot enough to melt
the marble statue of Galatea.
The interjections cling to the glass,
bodies with the finest antennae.
I walk, hoping I too
might benefit from those wisps of breath,
because I know there is an eternal someone
who one day, whether I like it or not,
will gather in all the spores,
all the dandelion spores.
He will examine them,
base, stem and root, reckoning
the meaningful and the meaningless.
He is keeping watch, until the day
when he will collect them all,
combine them
into a breath of death,
into a breath of death,
into a giant dandelion.
I blow the dandelion,
send the lightest interjections into space –
I scatter them.

DIANA ANPHIMIADI is a poet, publicist, linguist and teacher. She has published five collections of poetry: *Shokoladi* (*Chocolate*, 2008), *Konspecturi Mitologia* (*Resumé of Mythology*, 2009), *Alhlokhedvis Traektoria* (*Trajectory of the Short-Sighted*, 2012) and *Kulinaria* (*Personal Cuisine*, 2013). Her poetry has received prestigious awards, including first prize in the 2008 Tsero (Crane) literary contest and the Saba literary award for best first collection in 2009. She lives in Tbilisi with her husband and young son.

JEAN SPRACKLAND's most recent collection, *Sleeping Keys*, was published in 2013, and *Tilt* won the Costa Poetry Award in 2007. She is also author of *Strands*, the winner of the Portico Prize for Non Fiction. She is Professor of Creative Writing at Manchester Metropolitan University, and Chair of the Poetry Archive.

NATALIA BUKIA-PETERS is a freelance translator, interpreter and teacher of Georgian and Russian. She studied at Tbilisi State Institute of Foreign Languages before moving to New Zealand in 1992, then to Cornwall in 1994. She is a translator for the Poetry Translation Centre in London and a member of the Chartered Institute of Linguists, and translates a variety of literature, poetry and magazine articles. Her translations in collaboration with writer Victoria Field include short fiction and poetry by contemporary Georgian writers. Their most recent book is an anthology, *A House with No Doors – Ten Georgian Women Poets* (Francis Boutle, 2016).